les animaux de LA FERME

Conception :
Christophe Hublet

Texte :
Émilie Beaumont

Images :
Christel Desmoinaux

ÉDITIONS FLEURUS

ÉDITIONS FLEURUS, 15-27 RUE MOUSSORGSKI 75018 PARIS

La ferme

La ferme comprend plusieurs bâtiments
qui abritent le fermier et sa famille,
tous les animaux et le matériel.

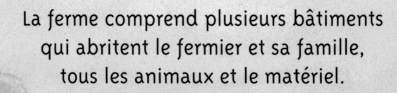

La maison du fermier.

Un clapier p
les lapins

n grand hangar pour
le foin, le tracteur,
les charrues.

En été, les vaches vont
à l'étable uniquement
le temps de la traite. Sinon, elles
dorment dans les prés. En hiver,
elles y restent enfermées
s'il fait trop froid.

Un poulailler pour
les poules.

Les poules

Les poules élevées à la ferme pondent et dorment
dans le poulailler. Elles passent la plus grande partie de
leur temps dehors. Les petits sont les poussins.
Le papa est le coq. C'est lui qui réveille
la ferme en poussant un grand
cocorico dès le lever du soleil.

Le coq es
plus gros c
les poule

Le poulailler

Les poules se nourrissent
de grains de blé et de maïs,
d'herbes, de vers de terre
et d'insectes.

Les poules sont
blanches, marron, no
ou de toutes les coule

Comme leur bec n'a pas de dents, les poules avalent de petits cailloux pour broyer leurs aliments dans leur estomac, appelé gésier.

Les poules sont élevées soit dans une ferme, où elles peuvent courir en toute liberté, soit dans des hangars, serrées les unes contre les autres.

Quand les poussins naissent, ils ont besoin de chaleur. Ils se réfugient sous les ailes de leur maman ou le fermier les place sous des lampes.

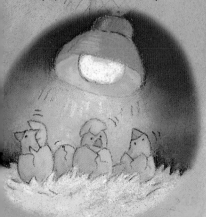

À la ferme, la poule couve ses œufs. Elle reste dessus pendant plusieurs jours, jusqu'à ce que les poussins cassent les coquilles et en sortent.

Les canards

À la ferme, les canards sont élevés avec les poules.
Ils sont très heureux s'ils peuvent aller barboter dans
une mare, car ils adorent se promener sur l'eau.
Même les canetons savent nager dès
qu'ils naissent. Maman cane n'a pas
besoin de le leur apprendre.

Ce canard, les fesses
à l'air, cherche des
plantes sous l'eau ou
des vers dans la vase.

Comme les poules,
les canes pondent
des œufs.

Le canard se dandine d'un pied
sur l'autre quand il marche.
Il est beaucoup plus
à l'aise sur l'eau.

Le canard sauvage vole, alors que celui de ferme, plus gros, ne vole pratiquement pas. Il bat des ailes quand il sort de l'eau pour les sécher.

C'est un vrai glouton. Il adore les pâtés du fermier. Il avale aussi de petits vers et un peu de salade. Il n'est pas difficile à nourrir.

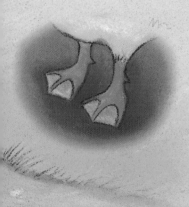

Une peau relie les doigts de pied du canard. On dit qu'il a les pieds palmés, ce qui lui permet de s'en servir comme des rames pour avancer dans l'eau.

Le plumage des canards est plus coloré que celui des canes. Tous les canards n'ont pas la même couleur ni la même forme de bec.

Les dindons

Dans la famille, le dindon, c'est le papa,
la dinde, la maman, les dindonneaux,
les petits. Le dindon est le plus gros oiseau
de la basse-cour. Il est du genre bagarreur
et se met en colère s'il voit du rouge.

Pour se faire remarquer par une
dinde, le dindon redresse sa queue
et fait la roue tout en gonflant
ses ailes. Ainsi, il est beaucoup
plus beau !

Il existe plusieurs variétés de dindons : des noirs, des blancs, des blanc et noir, des marron rouge, et des plus ou moins gros.

Les orties, on s'en méfie, car elles piquent, mais pas le dindon, qui s'en régale ! Il aime aussi les vers, les insectes et les souris.

La tête du dindon et de la dinde ne porte pas de poils. On dirait qu'elle est couverte d'une cagoule trop grande qui lui donne un air bizarre.

Quand les dindonneaux sortent des œufs, ils sont un peu perdus. Ils ont froid et cherchent un peu de chaleur.

Les lapins

Les lapins sont élevés dans des cages dont l'ensemble forme le clapier. Ils se reproduisent très vite, car une maman lapine peut avoir entre six et dix lapereaux quatre fois par an.

Quand il fait sec et chaud, les lapins aiment sortir de leur cage pour se dégourdir les pattes.

Le lapin se régale d'herbes bien sèches ramassées dans les champs. Le fermier lui donne aussi des granulés, du foin et de l'eau.

Le lapin est très propre. Il passe du temps à se lécher les pattes et à nettoyer sa fourrure. La paille de la cage doit être souvent changée.

Les dents de devant du lapin poussent tout le temps. Il les use en les frottant les unes sur les autres et en grignotant du bois.

Les lapereaux naissent sans poils. Ils sont tout roses. Ils ne voient rien, ils sont aveugles. Au bout de quelques jours les poils apparaissent et les petits ouvrent les yeux.

Les vaches

À la campagne, ce sont les reines des prés.
Certaines sont marron, d'autres noires avec
ou sans taches blanches. Elles sont élevées par
les fermiers pour leur lait ou leur viande.
À la ferme, elles sont logées à l'étable.

Le taureau
est le mari de
la vache.

Le pis
contient
du lait.

Chaque vache, dès sa
naissance, porte aux
oreilles une étiquette av
un numéro qui permet
la reconnaître pendar
toute sa vie.

Son repas terminé, la vache rumine : elle fait remonter dans sa bouche l'herbe qu'elle a avalée et la mâche comme un chewing-gum.

Pour récupérer le lait, matin et soir, on trait la vache en tirant sur ses mamelles à la main ou avec une trayeuse électrique.

Une vache mange une grande partie de la journée et doit boire beaucoup. De l'eau est à sa disposition dans un abreuvoir.

La vache est une bonne maman. Elle prend bien soin de son petit, le veau, pendant tout le temps où il tète.

Les cochons

Ce sont des animaux au corps bien gras sur
de courtes pattes, avec un gros nez et une queue
en tire-bouchon. À la ferme, ils dorment dans
une porcherie et peuvent gambader dans un enclos.
Ils sont élevés pour leur viande.

Les cochons n'aiment pas
la chaleur. Pour se protéger
du soleil et se rafraîchir, ils se
vautrent dans la boue. L'été,
ils apprécient une bonne douche.

Le cochon a un très gros appétit.
Il avale sa nourriture à toute vitesse.
Il n'est pas difficile à nourrir,
il mange de tout !

Certains cochons sont dressés
pour trouver des champignons,
les truffes, qui poussent dans le sol,
au pied des arbres.

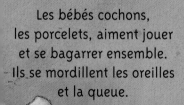

Les bébés cochons,
les porcelets, aiment jouer
et se bagarrer ensemble.
Ils se mordillent les oreilles
et la queue.

La maman, la truie, a beaucoup de bébés,
qui sont tous de vrais gloutons. Ils passent
la plus grande partie de leur temps à téter.

Les moutons

Dans certaines fermes, on élève aussi des moutons.
Les mamans sont les brebis, et leurs petits
les agneaux. Le bélier est le mari de toutes
les brebis du troupeau. Les moutons broutent
de l'herbe à longueur de journée.
Leur maison est la bergerie.

Les moutons sont élevés pour
leur viande et leur laine.

L'agneau tète sa mère,
la brebis.

Le bélier a de superbes cornes.
La brebis n'en a pas.

Les moutons sont tondus
régulièrement. Leurs poils donnent
la laine, qui sert à faire
de nombreux vêtements.

En montagne, après de longs
mois passés dans la bergerie,
les moutons sont conduits dans
les hauts pâturages.

Aidé de son chien, le berger garde le troupeau. Il éloigne
les animaux sauvages, récupère les bêtes égarées, les
soigne et aide les brebis à mettre au monde leurs petits.

D'autres animaux

Les chevaux, les chèvres, les ânes peuvent aussi
être élevés dans des fermes. Autrefois, les chevaux
étaient nombreux. Ils logeaient dans une écurie.
Aujourd'hui, certains fermiers ont un ou deux chevaux
pour le plaisir de les monter.

Ce cheval fin
et léger est
nerveux et
a besoin
de courir.

Ce cheval lourd
est calme
et docile.
Il peut tirer
des charrettes.

La maman cheval
s'appelle la jument,
son petit est le poulain

Autrefois, le cheval avait
un rôle important à la ferme.
Il était utilisé pour tous
les travaux des champs.
Aujourd'hui, il est remplacé
par le tracteur.

On peut voir des ânes dans les fermes.
Ils sont en général élevés pour le plaisir.
Ils sont très appréciés des enfants.

La chèvre est élevée pour son lait, qui
permet la fabrication de nombreux
fromages. Elle mange surtout
de l'herbe et du sel.

Le bouc est le mari de la chèvre.
En général, il y en a un par troupeau.
Il dégage une odeur très forte
et assez désagréable.

le monde des imageries

Dès 1 an

Des livres qui gran

Découvre tes

La nouvelle imagerie des enfants

L'imagerie de l'éveil

a b c d

L'imagerie pour la grande école

L'imagerie de la lecture
NIVEAU 1
no
le tu
la poule   le piano   la tortue

L'imagerie de la lecture
NIVEAU 2

L'imagerie du corps humain

Plus de 13 millions d'imager

L'imagerie de la ferme

L'imagerie des loisirs

L'imagerie de la montagne

L'imagerie de la ville

L'imagerie des enfants du monde

L'imagerie des dinosaures et de la préhistoire

Les imageries, c'est plein d'images,

L'imagerie des records d'animaux

L'imagerie des inventions

L'imagerie des petits gourmands

L'imagerie de l'histoire

L'imagerie des arts

L'imagerie de Noël

128 pages - couverture mousse